GW00673698

EL BARCO DE VAPOR

Mini va a la playa

Christine Nöstlinger

Primera edición: junio 1993
Vigésima edición: mayo 2008

Dirección editorial: Elsa Aguiar
Traducción del alemán: Carmen Bas
Ilustraciones: Christine Nöstlinger, jr.

Título original: *Mini fährt ans Meer*
© J&V Edition, Wien Dachs-Verlag GmbH, A 1150 Wien,
  Anschüzgasse 1, 1992
© Ediciones SM, 1993
  Impresores, 2
  Urbanización Prado del Espino
  28660 Boadilla del Monte (Madrid)
  www.grupo-sm.com

ATENCIÓN AL CLIENTE
Tel.: 902 12 13 23
Fax: 902 24 12 22
e-mail: clientes@grupo-sm.com

ISBN: 978-84-348-9457-0
Depósito legal: M-23481-2008
Impreso en España / *Printed in Spain*
Orymu, SA - Ruiz de Alda, 1 - Pinto (Madrid)

Ésta es Mini (su nombre
completo es Herminia Zipfel).

Acaba de terminar primero.

Ésta es la familia de Mini:

Su madre se llama Lisi; su padre, Peter; su hermano, Moritz, y el gato, Mauz. En el dibujo también está la abuela.

Mini es una niña muy alta.
Antes le molestaba ser tan
«superlarga». Pero desde que va al
colegio, las cosas han cambiado.
Porque en su clase hay otros niños
tan altos como ella. Y porque su
amiga Maxi le dice muchas veces:

—¡Mini, cómo me gustaría ser
tan alta como tú!

(Maxi es la niña más baja de la clase.)

A veces Mini se enfada con Moritz porque a él le gusta mucho llamarla «larguirucha».

Es que a Moritz le molesta ser más bajo que su hermana. ¡A pesar de tener dos años más que ella! Siempre está diciendo:

—¡No puede ser! ¡El pequeño siempre es el más bajito!

Hasta ahora Mini, Moritz y sus padres pasaban las vacaciones en una granja. A Mini le gustaba mucho. Pero Moritz no lo podía soportar. (Hay muchas cosas que Moritz no puede soportar.)

Desde las últimas vacaciones, no ha dejado ni una sola semana de gemir diez veces:

—¡El verano que viene quiero ir a la playa! ¡Tengo ya nueve años y todavía no he visto el mar!

Al principio, sus padres le contestaron:

—Bueno, ¿y qué? Nosotros teníamos veinte años cuando lo vimos por primera vez.

Y luego le explicaron a Moritz:

—No podemos ir a la playa. ¡Por Mini! Debes comprenderlo.

Por desgracia, Mini tiene una piel muy blanca, muy delicada.

Muchas personas pelirrojas tienen la piel así. No soporta el sol. Y menos el de la playa.

Pero Moritz seguía sin entenderlo y le decía a su hermana continuamente:

Mini no lo soportaba. Así que les dijo a sus padres:

—¡Vamos a la playa! Todos los días me untaré un kilo de crema por todo el cuerpo. Y si eso no basta, me pondré a la sombra.

Moritz estaba tan agradecido a Mini que hasta le dio un beso. ¡Y eso no suele ocurrir!

A mamá le apetecía ir a Portugal. Papá prefería ir a Francia. Moritz quería ir a Grecia a toda costa. A Mini le daba igual un sitio u otro.

Como no se ponían de acuerdo, Mini fue a buscar el atlas y dijo:

—Por donde yo abra, allí iremos. Si es que hay mar. ¿Vale?

—¡Vale! –gritó Moritz.

—Siempre que podamos permitirnos ir a ese mar –dijo mamá.

—¡No podemos pagar cuatro pasajes de avión al océano Pacífico! –añadió papá.

—¡Tacaños! –exclamó Moritz.

(A Moritz no se le dan bien las matemáticas. No sabe calcular lo que cuestan cuatro pasajes de avión hasta el océano Pacífico.)

Mini cerró los ojos con fuerza y abrió el atlas de golpe.

—¡Italia! –gritaron mamá, papá y Moritz. Y con eso quedó el asunto solucionado.

Papá y mamá decidieron pasar todo el mes de julio en Italia. Pero ella no tenía ganas de ir a un hotel. Prefería alquilar una casita en un pequeño pueblo de la costa.

Estuvo varias semanas buscando la casa adecuada. Le resultaba fácil, ya que trabaja en una agencia de viajes. (No todo el día. Sólo cinco horas tres días a la semana.)

Pero Moritz ya estaba desesperado.

—Cuando mamá se decida por una casa, ya estarán todas alquiladas. ¡Y tendremos que dormir en una tienda de campaña!

Pero un día mamá volvió de la agencia de viajes y dijo:

—¡Bien, ya la tengo! ¡Está todo resuelto!

Mamá traía una foto de la casa.

—¿Dónde está el mar? —gritó Moritz desilusionado.

Moritz pensaba que el mar
llegaría justo hasta la puerta.

Mamá dijo:

—¡La playa está a dos minutos!

—Pero Xandi... –gritó Moritz–.
Xandi vive justo al borde del mar.
¡Salta al agua desde la terraza de
su casa!

Papá sonrió:

—¡Y cae sobre una ballena
y cabalga sobre ella hasta África!

—¡Mi amigo no miente! –gritó
Moritz.

—¡Entonces no tiene mucho que
ver contigo! –dijo mamá, y sonrió
también.

Moritz se ofendió mucho.

—¡Sois unos bobos! –gruñó.

Se fue corriendo a su habitación
y cerró la puerta de golpe.

El día dos de julio llegó
enseguida.

Por la mañana temprano, Mini
llevó a Mauz a casa de la abuela.

¡VENDRÉ A
BUSCARTE
DENTRO DE
CUATRO SE-
MANAS!

El gato no podía ir con ellos a la playa. A los gatos no les gusta viajar.

A Mini no le resultó fácil despedirse de Mauz.

La abuela lloró un poco al despedirse. La abuela de Mini llora con frecuencia. Unas veces de emoción, otras veces porque se

¡¡¡SÓLO ESPERO VOLVER A VEROS A TODOS SANOS Y SALVOS!!!

siente ofendida, otras veces por compasión. Esta vez lloraba de preocupación. Porque se podían ahogar en el mar. Y porque durante el viaje podían sufrir un accidente de automóvil.

Cuando Mini volvió de casa de la abuela, mamá, papá y Moritz ya estaban en la calle, al lado del coche, y discutían entre ellos.

Papá no quería cargar en el coche todo lo que Moritz había llevado hasta allí. Dijo:

—¡Eso ni pensarlo! Tenemos un coche, no un camión. ¡Todo esto no sirve para nada!

Las cosas «que no servían para nada» de Moritz eran un balón de fútbol, una pelota, una tienda india, dos pares de aletas, un juego de bádminton, una barca hinchable con dos remos, un juego de bolos, una hamaca, un colchón hinchable, dos barcos de vela con mando a distancia, un montón de pelotas de tenis y otros muchos chismes repartidos en bolsas y cajas.

Moritz gritó:

—¡Papá, tú me habías dicho que podía llevarme todo lo que quisiera!

—¡Es cierto! –dijo mamá–. Se lo habías prometido. Yo soy testigo de ello.

—¡Está bien, está bien! –exclamó papá, y señaló al maletero–. ¡Decidme, entonces, dónde metemos todos estos cachivaches!

Realmente no quedaba mucho sitio libre.

—Tendríamos que poner la baca en el techo del coche –dijo mamá.

Gruñendo terriblemente, papá fue a buscar al sótano la baca y los pulpos para sujetar las maletas. Gruñendo más terriblemente todavía, montó la baca, puso las dos enormes maletas encima y las sujetó con los pulpos. Luego metió todos los trastos de Moritz en el maletero. Mientras papá gruñía y trajinaba, mamá murmuraba confiada:

—¡Esto empieza muy bien, van a ser unas vacaciones estupendas!

Cuando el padre de Mini acabó de cargar todo, dejó de gruñir y se puso contento de nuevo. Es que se enfada muy fácilmente. Pero la verdad es que también se tranquiliza con la misma facilidad.

—¡Hecho! –exclamó, y sonrió satisfecho.

A Mini no le gustan los viajes largos en coche. Sobre todo cuando hace calor. Y ese día hacía mucho calor.

—¿Puedo bajar la ventanilla? –preguntó.

—Claro que sí –respondió papá.

Pero cuando no había bajado

más que un dedo, Moritz empezó a gritar:

—¡Hay mucho ruido! Y me da el aire. Me van a doler los oídos.

Así que Mini volvió a subir la ventanilla y se quitó la camiseta y los pantalones.

—¿Cuánto tardaremos en llegar al mar? –preguntó.

—Ocho horas aproximadamente –dijo mamá.

—Si no nos metemos en un atasco –opinó papá.

¡Diez minutos más tarde, ya estaban en el atasco!

—Ahora ya no hay corriente de

aire –dijo Mini, y bajó de nuevo la ventanilla.

Siguieron avanzando a paso de caracol. Mini miró el reloj. Cuando pasaron por el kilómetro 111, eran las nueve y tres minutos. Cuando llegaron al kilómetro 112, eran las nueve y nueve minutos. Mini dijo:

—Hemos tardado seis minutos en recorrer un kilómetro. Para recorrer diez kilómetros necesitaremos sesenta minutos: una hora.

Mamá añadió:

—¡Entonces tardaremos cien horas en recorrer cien kilómetros!

—¡No seáis tan pesimistas! –suspiró papá.

A partir del kilómetro 116 pudieron volver a correr, y Mini tuvo que cerrar la ventanilla para que a Moritz no le dolieran los oídos.

Mini pensó: «¿Cómo es posible que no le moleste este calor de mil demonios?»

Moritz estaba sentado tan tranquilo a su lado, leía un tebeo de Micky Mouse y llevaba los *walkman* en las orejas. ¡Y entonces Mini se quedó estupefacta!

—No digas tonterías –dijo mamá.

—¡Pero, mira! –gritó Mini
señalando los pantalones de
Moritz–. ¡La caca se le sale por
todas partes!

Mamá se volvió y miró por
encima del respaldo de su asiento.

—¡Oh, Dios mío, Dios mío!
–gimió.

Moritz se quitó los auriculares

porque quería saber por qué estaban tan asustadas.

Naturalmente, Moritz no se había hecho caca encima. Lo que pasaba era que se había guardado unas provisiones de chocolate en el pantalón. Había repartido una tableta entre todos sus bolsillos, tanto los traseros como los delanteros. Y como en el coche hacía tanto calor, el chocolate

estaba ya totalmente derretido.

—¡Vaya con el niño! –exclamó
papá.

—Mini, ponle el Micky Mouse
debajo del trasero –dijo mamá–.
Así no se manchará el asiento.

Pero cuando se levantó,
descubrieron que el asiento ya
estaba lleno de manchas marrones.

Papá se detuvo en el
aparcamiento más próximo.

Allí mamá le quitó la ropa a
Moritz y le limpió todo el chocolate
del cuerpo.

Mini lavó el asiento del coche.
Mientras, papá no paraba de
gruñir terriblemente.

¡Porque Moritz necesitaba unos calzoncillos y unos pantalones limpios! Y tenía que sacarlos de la maleta. ¡Y la maleta estaba sobre la baca del coche!

Cuando, por fin, Moritz y el coche estuvieron limpios, volvieron a colocar la maleta sobre la baca.

—Conduce tú –le dijo papá a

mamá–. ¡Yo tengo que reunir fuerzas para aguantar a mi familia!

Mamá se sentó al volante y arrancó con un acelerón.

—¡Oh, mujer al volante! ¡Espero que lleguemos bien! –gruñó Moritz.

—¡Achocolatado, cállate! –dijo Mini.

Moritz golpeó a Mini en las costillas.

Mini le dio a Moritz una patada en la espinilla.

Moritz le tiró del pelo a Mini.

Mini le retorció la oreja a Moritz.

Moritz mordió a Mini en el
brazo.

Mamá detuvo el coche en el
arcén y gritó:

—¡El que quiera pelea, que se
baje!

Mini y Moritz suspendieron el
combate. Mini se apartó lo más
posible de Moritz. Moritz se apartó

lo más posible de Mini. Y mamá siguió conduciendo.

—¡Enemigos para siempre, larguirucha! –le susurró Moritz a Mini.

—¡En la vida y en la muerte, enano! –le respondió Mini en voz baja. Luego le dio la espalda a su hermano y se puso a mirar por la ventanilla. Contó los coches a los que mamá adelantaba. Cuando iba por 606, se puso a bostezar. Y en el 707 empezaron a cerrársele los ojos. Se tumbó hecha un ovillo sobre el asiento.

—¡Estás en mi mitad! –gruñó Moritz.

—¡No es cierto! –murmuró Mini.

Moritz bajó el reposabrazos situado en el centro del asiento. Lo apoyó con fuerza sobre los pies de Mini.

—¡Ay! ¿Estás loco? –gritó Mini.

—¡Si no estuvieras en mi mitad –dijo Moritz–, no te habría hecho daño!

Papá se giró y gritó:

—¿Qué es una atrocidad? –preguntó Moritz.

—Dar una paliza a los niños –contestó papá.

—Está prohibido pegar a los niños –dijo Moritz.

—Los que cometen atrocidades no respetan las leyes –dijo mamá.

Mini se encogió todavía más. Para caber en su mitad de asiento y que Moritz no se quejara. Pensó: «Si sigo despierta, no aguantaré el viaje al lado de este pelmazo. ¡Tengo que dormirme!»

Y, al momento, se quedó dormida.

Se despertó ya en la frontera, cuando mamá enseñaba los pasaportes al aduanero.

—¿Cuánto falta todavía para que lleguemos al mar? –preguntó bostezando.

—¡Ni idea! –respondió Moritz.

Mini iba a preguntárselo a papá y mamá, pero en ese momento pararon y se bajaron del coche. Se cambiaron de sitio. Mamá ya había conducido bastante.

Cuando papá y mamá estuvieron de nuevo sentados en el coche, Moritz dijo:

—¡Tengo que ir al servicio! ¡Enseguida!

—¡Yo también! –añadió Mini.

—¡Lo podíais haber dicho antes! –exclamó papá–. Ya hemos pasado la frontera. No puedo regresar. Tendréis que esperar hasta la próxima área de descanso.

Y siguió conduciendo. Moritz se revolvía en su asiento y gemía:

Papá tuvo que parar cuatro
veces más. La primera, para hacer
pis. La segunda, para echar
gasolina. La tercera, porque mamá
tenía sed. Y la cuarta, cuando ya
había salido de la autopista, para
preguntarle a alguien cuál era el
camino para ir a Larucca. Ése era
el lugar donde mamá había
alquilado la casa. Papá lo encontró

enseguida. Y justo después del cartel con el nombre del pueblo, Mini vio el mar.

Mini y Moritz querían ir enseguida a ver el mar de cerca. Pero papá y mamá prefirieron ver primero la casa. Mamá tenía un plano de Larucca. La calle donde se encontraba la casa estaba pintada de color rojo. Y alrededor de la casa había un círculo rojo también.

Papá y mamá no hicieron caso
de las protestas de Moritz y Mini
y se metieron en el pueblo,
alejándose del mar.

Pero no pudieron llegar con el
coche hasta la casa. Era zona
peatonal.

Papá bajó las maletas del coche
y sacó las bolsas del maletero.
Mamá sacó los cachivaches de

Moritz y los dejó junto al coche.
Dijo:

Papá agarró las maletas; mamá,
las bolsas. Y empezaron a andar.

Al principio Moritz no se lo
creyó. Pero cuando por fin
comprendió que debía transportar
todas sus cosas él solo, casi le da
un ataque de furia.

—¡Espera, yo te ayudaré –dijo
Mini–. ¡Entre los dos lo
conseguiremos!

Pero Mini y Moritz habrían
necesitado diez brazos para llevarlo
todo.

—¡Qué barbaridad! –gritó
Moritz.

—Haremos dos viajes –propuso
Mini.

Moritz exclamó:

—Y quién cuidará de que no nos roben nada, ¿eh?

—Vete tú, yo vigilaré –propuso Mini.

—¡Está bien! –dijo Moritz–. Pero yo vigilo y tú te vas.

—¿Y por qué tengo que cargar yo con todo esto? –preguntó Mini–. Son cosas tuyas.

—Porque si no, no te llevaré en mi barca hinchable.

Entonces, Mini dejó que Moritz le cargara todo encima. Y el muy fresco tuvo todavía el descaro de decir:

—¡No te quejes! ¡No pesa nada!

Por suerte, papá volvió en ese

momento. Se había dado cuenta de que Moritz no podía llevar todo él solo. ¡Se fueron los tres cargados como mulas! Todas las personas

que se cruzaban por el camino se reían al verlos.

A mamá, que estaba asomada a una ventana de la casa, también le hizo mucha gracia.

En la planta baja había una

gran cocina, un cuarto de baño
y un aseo. Y en el primer piso,
dos habitaciones. Una de ellas
tenía una terraza, desde la que
se divisaban unas vistas
preciosas.

En ese momento, el sol se ponía en el mar. Era enorme y muy rojo. Papá y mamá estaban entusiasmados.

—¡Ay, qué bonito! –exclamaron.

Pero Moritz gritó:

—¡Tengo hambre!

Mini estaba demasiado cansada para salir a tomar algo. Sacó de la maleta su pijama y su osito de peluche y anunció:

—Yo me quedo. ¿Cuál es mi cama?

Papá dijo:

—Como somos unos padres estupendos, os dejamos la habitación de la terraza.

Moritz dijo:

—¡Y yo me pido la cama que está junto a la puerta de la terraza!

Mini se tumbó en la otra cama y se quedó dormida enseguida. Ni siquiera se despertó cuando papá, mamá y Moritz volvieron de la calle.

Sólo se despertó con los gritos de Moritz. ¡En medio de la noche! Fuera estaba oscuro como boca de lobo. ¡En la habitación la luz estaba encendida! ¡Y un gran escuadrón de mariposas nocturnas revoloteaba por todas partes!

Gordas y finas, pequeñas y grandes, marrones y negras, lisas

y peludas! Moritz se había
acurrucado debajo de la colcha.
Y gritaba con fuerza:

Los gritos de Moritz despertaron
por fin a mamá. Fue a la
habitación y apagó la luz.

Bostezando, dijo:

—Ya te he dicho que no encendieras la luz, Moritz. La luz atrae a los bichos.

—¿Se han ido ya? –preguntó Moritz.

—Sí, ya se han ido –dijo mamá, y volvió bostezando a su habitación.

—¡Qué lugar tan estúpido! –dijo Moritz.

—El lugar no tiene la culpa de que tú no apagues la luz –contestó Mini, y a continuación añadió–: No creo que se hayan ido los bichos. A lo mejor están todos en tu colcha.

Entonces, Moritz empezó a gritar otra vez. Y mamá acudió de nuevo a la habitación.

—¿Qué ocurre ahora? –preguntó.

Mini se rió con disimulo.

—No pasa nada –dijo–. Que Moritz es un miedica.

Para que se tranquilizara, mamá tuvo que cerrar la puerta de la terraza y encender la luz. Así, Moritz se convenció de que la nube de insectos se había ido realmente. Sólo pudo apagar de nuevo la luz y abrir la puerta de la terraza cuando su hijo hubo inspeccionado minuciosamente toda la habitación.

—Ahora resulta que me vas a salir miedoso –dijo mamá mientras abandonaba el cuarto.

Eso le gustó a Mini. Pensó: «Por fin ha recibido este pesado una definición exacta».

A la mañana siguiente, Moritz no quería reconocer su miedo a los insectos y mintió de forma descarada. Dijo:

—Llamé a mamá sólo porque Mini tenía miedo.

Mamá le guiñó el ojo a Mini. Eso quería decir: «Déjale que hable. Nosotras dos sabemos lo que realmente pasó».

Mini asintió. Y eso quería decir:
«¡Está bien! Que diga lo que
quiera».

Después de desayunar, los
cuatro se fueron a buscar una
playa adecuada. Querían ir a una
en la que hubiera sol y sombra.

Sol para Moritz, papá y mamá.
Sombra para Mini. Pero no existía
ninguna playa así.

Había muchas calas pequeñas
donde bañarse. Pero en ninguna
había una sola sombra.

—Dará la sombra al final de la
tarde, nada más –gimió mamá.

—Por eso he traído yo la tienda
india –dijo Moritz–. Mini podrá

sentarse dentro para estar a la sombra.

Mamá y papá consideraron que era una idea «súper».

Pero a Mini no le parecía nada «súper» estar sentada dentro de una tienda india viendo cómo papá y Moritz construían castillos de arena.

Los demás niños de la playa se acercaban, observaban asombrados y preguntaban:

—¿Por qué estás sentada ahí dentro?

Algunos niños hablaban idiomas extranjeros. Pero seguro que también preguntaban lo mismo.

Mini tuvo suficiente con media
hora. Pasado ese tiempo, salió
arrastrándose de la tienda y le dijo
a su madre:

—¡Prefiero quemarme antes que
estar ahí metida!

Ella contestó:

—Métete en el agua. Así no te
quemarás con el sol.

Mini preguntó asustada:

—¿Meto también la cabeza?

—No –dijo mamá, y le tendió su sombrero–. Deja la cabeza fuera. Pero ponte el sombrero.

—¡No! –gritó Mini–. Los demás niños se van a reír de mí si me baño con el sombrero puesto.

Mamá lo comprendió perfectamente y dijo:

—Bueno, tengo otra cosa –y sacó tres tubos de su bolsa–. Te voy a pintar como a un guerrero.

Sun-Blocker se llamaba aquello. En un tubo había crema roja; en otro, crema verde, y en otro, crema azul.

—Seguro que el sol no puede con esto –dijo mamá.

Pero, por desgracia, dentro de los tubos no había mucha crema.

Mamá embadurnó la cara, el cuello, los hombros y los brazos de Mini, y ya estaban los tubos vacíos.

Pero como se iba al agua, era suficiente. Mini se pasó toda la mañana en el mar.

Los demás niños la miraban asombrados. ¡Pero no se reían de ella! ¡La admiraban! Y también querían que los pintaran como guerreros. Sobre todo, claro está, Moritz. Pero mamá le explicó:

—Esa crema es carísima. No se puede usar sólo por diversión.

Para que Mini pudiera no sólo nadar, sino también jugar en la arena, al día siguiente papá compró muchos tubos de Sun-Blocker en la farmacia. Moritz estaba muy enfadado porque papá se había gastado tanto dinero en Mini. Dijo:

—¡Si al menos no fueras tan larguirucha! Nos saldrías más barata.

Así que Mini iba todos los días a la playa pintada como un guerrero de los pies a la cabeza.

Y allí donde aparecía Mini, los niños gritaban:

O:

(Éstos eran los niños que habían venido de vacaciones a Italia desde Inglaterra.)

O:

(Éstos eran los niños que habían venido de vacaciones a Italia desde Francia.)

O:

(Éstos eran los niños italianos, que vivían todo el año en Larucca.)

Mini volvía a entenderse con Moritz. Juntos descubrieron una afición común: hacer colecciones. De piedras, conchas, caracolas, estrellas de mar, erizos y todo lo que se puede encontrar en la playa.

Todo lo almacenaban en la terraza de su habitación. Y cada día olía peor. ¡Las estrellas de mar y los erizos muertos olían fatal! ¡Y el pez enorme que Moritz había encontrado apestaba! Papá y mamá se pasaban el día olisqueando.

—Huele horriblemente mal –se quejaban–. ¿Qué será?

Ninguno de los dos tenía ni idea de lo que había en la terraza. Pensaban que Moritz y Mini tenían únicamente piedras y conchas.

Mini, muy preocupada, le dijo a Moritz por la noche:

—¡Espero que mamá no descubra nuestro almacén!

Moritz la tranquilizó:

—El mal olor se pasa pronto –dijo–. Con tanto sol, las partes blandas se descompondrán deprisa.

Por desgracia, mamá fue más rápida que el sol y descubrió el almacén apestoso. Se puso un pañuelo tapándose la nariz y la boca para evitar respirar el mal olor. Se protegió las manos con guantes de goma y echó toda la colección en dos enormes bolsas de

basura. Las dejó delante de la casa.
Para que las recogiera el camión
de la basura.

¡También las conchas, las
caracolas y las piedras fueron
a parar a las bolsas de basura!
¡Incluso los trozos de cristal de
colores redondeados por el mar!
¡Y las pinzas de cangrejo
impecablemente limpias!

Moritz y Mini se habían ido con
papá a comprar y no tenían ni
idea de lo que estaba ocurriendo
en casa. Cuando regresaron,
cargados con el vino, la mortadela
y el pan, ya estaban las bolsas de

basura delante de la puerta.

¡Y mamá les regañó terriblemente:

Moritz y Mini lloraron
muchísimo:

—¡Déjanos quedarnos por lo
menos con las piedras y las

conchas! –sollozó Moritz.

—¡Y con el trozo de cristal rojo
que parece un corazón! –gimió
Mini.

Mamá dijo:

—¡Si uno de los dos toca algo
de eso, le cortaré los dedos!
¿Entendido?

A pesar de todo, Moritz se lanzó
sobre las bolsas. Agarró una con la
mano derecha y otra con la mano
izquierda. Y antes de que mamá
lograra sujetarle por el cuello, salió
corriendo calle abajo entre la
gente, hasta desaparecer de su vista.

—¡No puede ser! –exclamó ella.

Papá y Mini corrieron tras él.

Hasta la playa. Allí lo alcanzaron. No quedaba nadie. Era ya tarde. Moritz sollozó:

—¡No dejaré que me quiten lo que más me gusta!

—Son muy poquitas cosas las que huelen mal –añadió Mini.

Papá suspiró.

—¡Entonces, manos a la obra! –dijo, y vació las dos bolsas.

Lavaron las bolsas en el agua. Limpiaron cada piedra, cada concha, cada trozo de cristal y cada caracola. Antes de meter una pieza en la bolsa, papá la olía cuidadosamente. Pero no tenía el olfato muy fino. Así que en las bolsas entraron muchas cosas que no olían a rosas precisamente. Luego, las llevaron hasta el coche y las guardaron en el maletero. Papá dijo:

—¡Éste será nuestro secreto!

—¿No está feo eso de guardar secretos? –preguntó Mini.

—Sólo un poco –contestó papá–. Mamá no quería que oliera mal y ¡ahora no huele mal!

—Entonces, se lo podemos contar –opinó Mini.

—No, así le daremos una sorpresa cuando volvamos a casa –dijo papá.

Y así fue.

Regresaron el último día de julio. La abuela les estaba esperando. Había llevado a Mauz consigo y había preparado algo de comer. Estaba ya en la puerta cuando mamá, papá, Moritz y Mini subieron la escalera cargados de bultos. Tenía a Mauz en brazos.

—¡Mauz! –gritó Mini, y se lanzó sobre la abuela y el gato.

Al hacerlo, se le soltó de las
manos una bolsa de color negro.
Y, ¡clac-clac-clic!, rodaron
escaleras abajo conchas,
piedras, trozos de
cristal y caracolas.

¡Desde el segundo piso hasta el
bajo!

—¡Están todas limpias! –gritó
Moritz.

—¡Y no huelen mal! –gritó papá.

—¡Es una sorpresa para ti!
–gritó Mini.

A mamá no le quedó más
remedio que reírse y decir:

—¡Bueno, pues muchas gracias!